青島郊外と開発区
海岸線にそって「美しい青島」
［モノクロノートブック版］

JN122284

ドイツ植民都市の旧市街から、東6kmに位置する香港中路は、20世紀末に開発のはじまった新市街。高層ビルが林立し、青島の行政機関、中国を代表する企業や外資系企業が集まる一大ビジネス拠点となっている。

　多くの企業が注目する青島の魅力に、海と山に囲まれた住環境のよさがあげられる。西の旧市街から東の新市街に向かって海岸線が続き、さらに香港中路（青島新市街）から東25kmには道教聖地の崂山が位置する。崂山は秦の始皇帝、漢の武帝、李白などが訪れた山東省を代表する景勝地

で、鉱物をふくんだこの崂山の水から青島ビールは生み出された。

　現在、かつて青島の郊外だった香港中路、石老人、四方、李村といった場所は、青島市街の拡大とともにひとつながりとなっている。それぞれ香港中路商圏、崂山（石老人）商圏、李村商圏といった商圏を形成し、膠州湾口の対岸部には青島経済技術開発区が整備されている。

Around Qingdao

青島効区／qīng dǎo jiāo qū／チィンダァオシャォチュウ

「まちごとチャイナ」│山東省 004│

青島郊外と開発区

海岸線にそって「美しい青島」

『アジア城市(まち)案内』制作委員会
まちごとパブリッシング

Contents

青島市街部

- 青島膠州
  湾大橋
- 青島
  北駅
- 李村
- 李村
- 膠州湾
- 地鉄○号線
- 四方
- 青島
  博物館
- 市北
- 青島
  清真寺
- 石老人
- 青島ビール博
  物館
- 台東
- 地鉄号線
- 香港
  花園
- 康有
  為墓
- 青島
  旧市街
- 青島駅
- 五四
  広場
- 香港
  中路
- 極地
  海洋世界
- 桟橋
- 八大関
- 黄海

0km   10km

青島

- 膠州
- 青島流亭
  国際空港
- 地鉄号線
- 青島膠州
  湾大橋
- 崂山
- 膠州湾
- 李村
- 青島市街部
- 石老人
- 旧市街
- 台東
- 膠州湾海底
  トンネル
- 香港中路
  (新市街)
- 開発区
- 黄海
- 青島経済技
  術開発区

0km   30km

★★★
香港中路／香港中路 シィアングァンチョンルウ
崂山／崂山 ラオシャン

★★☆
石老人／石老人 シイラァオレン

★☆☆
五四広場／五四广场 ウゥスウグゥアンチャアン
香港花園／香港花园 シャングゥアンフゥアフユゥエン
青島博物館／青岛市博物馆 チィンダァオシイボオウウグゥアン
極地海洋世界／极地海洋世界 ジイディハァイヤンシイジエ
康有為墓／康有为墓 カァンヨォウウェイムウ
青島清真寺／青岛清真寺 チィンダァオチィンチェンスウ
四方／四方 スゥファン
李村／李村 リイチュン
膠州湾／胶州湾 ジィアオチョウワン
膠州湾海底トンネル／胶州湾海底隧道 ジィアオチョウワンハァイディスイダァオ
青島経済技術開発区／青岛经济技术开发区 チィンダァオジィンジイジイシュイカァイファアチュウ
青島膠州湾大橋／青岛胶州湾大桥 チィンダァオジィアオチョウワンダアチャオ
青島流亭国際空港／青岛流亭国际机场 チィンダァオリィウティングゥオジイジイチァアン
膠州／胶州 ジィアオチョウ

Introduction
心地よい潮風に吹かれて

どこまでも続く海岸線、豊かな緑
山東省屈指のビジネス拠点は
美しく、優れた住環境をもつ

青島郊外と、拡大する青島

　1898年以降、ドイツ植民都市青島(旧市街)の郊外に、中国人の暮らす「大鮑島」「台東鎮」「台西鎮」が整備された。1914年に日本が青島統治をはじめると、青島旧市街から「台東鎮」、さらにその北の「四方」までを一体化する大青島計画が進んだ(また青島北東15kmの「李村」は、各農村へ通ずる要衝だった)。現在、青島郊外の市街化は進み、20世紀末よりつくられた東郊外の「香港中路(新市街)」、膠州湾口をはさんで南西郊外の黄島に「青島経済技術開発区」が築かれた。かつての郊外の街を飲み込むように街の一体化と拡大は続き、市街北25kmの青島流亭国際空港まで延々と街が連なっている。また空港を越えてさらに北側の「城陽」、19世紀に青島が建設される以前の中心地であった古都の「膠州」や「即墨」が青島の衛星都市を構成している。

住みやすい街青島

　ドイツ風家屋の続く青島旧市街から、東に向かって伸びていく長い海岸線。桟橋から八大関、香港中路、石老人、崂山へと続き、海からは心地よい風が吹き、背後には崂山をはじめとする豊かな緑地が広がっている。こうした青島の環境

は、中国でも有数の住みやすい街にあげられるほどで、夏には内陸部から青島に避暑に訪れる中国人も多い（華北を代表するビーチをもつ）。青島の住環境のよさは、外資系企業にとっても魅力的で、韓国企業、日系企業をはじめ、多くの外資系企業が進出している。

山東省の果て

青島が発展をはじめるのは、1898年以降のことだが、山東半島のつけ根にあたるこの地の地政学上の重要性は高かった。紀元前の春秋戦国時代、山東省にあった斉国は他国に先がけて、南の魯国との国境にそって長城を築いた。この斉長城は、済南郊外の旧済水（黄河）から、青島黄島区東于家河で海にいたるまで全長600kmになり、青島地区が斉長城の東端とされた。青島の南西75kmに位置する琅琊台には、春秋戦国時代、中国を代表する港があったことが知られ、現在は青島琅琊台風景名勝区として整備されている（始皇帝がこの地を訪れ、徐福は青島近郊から東方へ向かったとも伝わる）。またインドへ求法の旅へ出た法顕（337年ごろ〜422年ごろ）は、帰国にあたって青島東30kmの崂山に漂着したことも知られる。

高層ビルの林立する新市街は、旧市街とはまるで異なる世界

崂山は山東省を代表する観光地となっている

青島市民の集まる五四広場

香港中路は青島の金融センターに成長した

Xiang Gang Zhong Lu

香港中路城市案内

五四広場に立つ鮮やかな赤のモニュメント
周囲には高層ビルが立ちならび
青島を代表する商圏をつくっている

香港中路／香港中路★★★
xiāng gǎng zhōng lù
ほんこんちゅうろ／シィアングァンチョンルウ

　青島旧市街から東6kmに位置する香港中路(新市街)は、
1990年代から整備が進んだ。ほとんど何もない状態から、
わずか10年で政府、オフィスビル、高級百貨店、外資系スー
パー、中国資本スーパー、映画館の集まる新市街が形成され
た(2008年の北京オリンピックに向けて、平屋家屋は撤去され、アパート
群が建設された)。その中心に位置するのが1994年竣工の「市
政府大楼(市級機関辦公楼)」で、そこから海岸に面した「五四広
場」にいたる軸線を中心に、「陽光百貨」「青島イオン(永旺東
泰)」「カルフール(家楽福)」「青島国際金融中心(58階建て、高さ
249m)」「青島万邦中心(50階建て、高さ232m)」などの商業施設や
ビジネス拠点がならぶ。もともと香港中路という名称は、青
島新市街を東西に走る道路名で、この新市街をさして香港
中路(商圏)とも、東部商圏とも呼ぶ。青島の新しい顔となっ
た香港中路には、青島でも所得の高い人たちが暮らす。

N

江西路

江西路

雲霄路

山東路

閩江路

地鉄3号線

市政府
大楼

南京路

福州南路

香港中路

浮山所

青島国際
金融中心

香港
花園へ

香港中路

地鉄2号線

燕児
島路

五四
広場

五四
広場

東海西路

五月
的風

万邦
中心

五四広場

奥凱基地
百麗広場商圏

延安
三路

奥林匹克
帆船中心

音楽
広場

浮山湾

香港中路

0km   3km

五四広場／五四广场★☆☆

wǔ sì guǎng chǎng

ごしひろば／ウウスウグゥアンチャアン

　市政府大楼から南の浮山湾へ向かって広がる南北700m
の五四広場。1996年に整備されたウォーターフロントで、
美しい芝生、噴水、五四運動をモチーフとするモニュメント
「五月的風」が位置する(1919年の五四運動は、青島回収はじめ、山東
省の権益返還への運動だった)。広場の周囲にはホテルやレスト
ランが集まるほか、青島市民の憩いの場となっていて、ウィ
ンドサーフィンを楽しむ人の姿も見える。

五月的風／五月的风★★☆

wǔ yuè de fēng

ごがつのかぜ／ウウユゥエダアファン

　燃えあがる炎のような真紅の巨大モニュメントの五月的
風(5月の風)。五四広場の中央に立ち、高さ30m、直径27mで螺
旋状の構造をもち、重さは700トンになる。21世紀を迎える
にあたって、新たな青島の象徴として建てられた。

★★★
香港中路／香港中路 シィアングァンチョンルウ

★★☆
五月的風／五月的风 ウウユゥエダアファン

★☆☆
五四広場／五四广场 ウウスウグゥアンチャアン
東海路／东海路 ドンハイルウ
音楽広場／音乐广场 イィンユゥエグゥアンチャアン
浜海歩行道／海滨木栈道 ハァイビィンムウチャアンダァオ
奥林匹克帆船中心／奥林匹克帆船中心 アオリィンピィカアファンチュゥアンチョンシン
奥帆基地百麗広場商圏／奥帆中心百丽广场 アオファンチョンシィンバァイリイグゥアンチャアン
青島国際金融中心／青岛国际金融中心 チンダァオグゥオジィジィンロォンチョンシン
雲霄路／云霄路 ユゥンシィアオルウ

東海路／东海路★☆☆
dōng hǎi lù
とうかいろ／ドンハイルウ

　香港中路に並行するように走る東海路。西の太平角から五四広場を通って石老人まで、12.8kmに渡って続く。通りの両脇には、塑像が立ち、緑地が整備されている。

音楽広場／音乐广场★☆☆
yīn yuè guǎng chǎng
おんがくひろば／イィンユウエグゥアンチャアン

　五四広場の南西500mに隣接する音楽広場。高さ20mの乳白色のモニュメント「音楽之帆」とともに、石製の巨大ピアノ「銀色波涛」が見られる。1999年に整備された。

浜海歩行道／海滨木栈道★☆☆
hǎi bīn mù zhàn dào
ひんかいほこうどう／ハァイビィンムウチァァンダァオ

　青島の海岸線にそって走る全長36.9kmの浜海歩行道。新市街(香港中路)の開発にあわせて2002～05年にかけて整備された。心地よい潮風が吹く。

奥林匹克帆船中心／奥林匹克帆船中心★☆☆
ào lín pǐ kè fān chuán zhōng xīn
おりんぴっくはんせんちゅうしん／アオリィンピイカアファンチュゥアンチョンシィン

　香港中路の浮山湾に浮かぶ燕児島は、1930年代、「燕島秋潮」として青島十景にあげられる景勝地だった。2008年の北京オリンピックにあたって、ここ青島燕児島で、ヨット、ウィンドサーフィンなどのセーリング種目が行なわれた。オリンピックセンターはその後も奥林匹克帆船中心として利用され、海上ではウィンドサーフィンを楽しむ人も見られる。また奥林匹克帆船中心の近くには奥帆博物館も位置する。

青島の新しいシンボルの五月的風

堂々としたたたずまいの市政府大楼

ここで北京オリンピックのヨット競技が行なわれた、奥林匹克帆船中心

雲霄路から閩江路にかけてレストランが集まる

奥帆基地百麗広場商圏／奥帆中心百丽广场 ★☆☆

áo fān zhōng xīn bǎi lì guǎng chǎng

おうはんきちひゃくれいひろばしょうけん／アオファンチョンシンバァイリイグゥアンチャアン

　五四広場から東1kmに位置し、香港中路(東部商圏)に連なる奥帆基地百麗広場商圏。高級ブランド店、ショップやレストランが入居する「海信広場」や「百麗広場」には、青島の感度の高い若者が集まる(海信は、青島を拠点とする電化メーカーで、ハイセンスの名前でも知られる)。また近くには「青島イオン(永旺東泰)」も位置する。

青島国際金融中心／青岛国际金融中心 ★☆☆

qīng dǎo guó jì jīn róng zhōng xīn

ちんたおこくさいきんゆうちゅうしん／チンダァオグゥオジイジィンロォンチョンシィン

　香港中路と福州南路の交わる地にそびえ立つ青島国際金融中心。58階建て、高さ249mの高層ビルで、「斉魯第一高楼」と言われる。あたりには金融機関や大手企業が集まり、青島の金融、ビジネス拠点となっている。

雲霄路／云霄路 ★☆☆

yún xiāo lù

うんしょうろ／ユゥンシィアオルウ

　香港中路から北に走る雲霄路は、いくつものレストランが集まる青島の美食街。海鮮料理はじめ中国各地の料理を出す店がならぶ。また雲霄路と交わる閩江路にも多くの店舗が軒を連ねる。

香港花園／香港花园 ★☆☆

xiāng gǎng huā yuán

ほんこんかえん／シャングゥアンフゥアユゥエン

　香港中路に2000年に建てられたマンションの香港花園。青島新市街の建設にあわせて多くの韓国人が青島に進出し、香港花園に暮らしたことから、あたり一帯はコリアタ

ウンのようなたたずまいとなっている（韓国城、韓国花園ともいう）。

青島郊外と開発区／海岸線にそって「美しい青島」

石老人城市案内

**静かな浜辺が広がっていた石老人
20世紀末から急速に発展し
青島大劇院、博物館、国際会展中心などが位置する**

石老人／石老人 ★★☆
shí lǎo rén
せきろうじん／シイラァオレン

　香港中路より10km東に位置する石老人（崂山商圏）。かつて漁村が点在したが、20世紀末からの青島新市街の開発とともに発展するようになり、自然とレジャー、リゾート地を兼ね備えた新街区へと変貌を遂げた（漁港や、ワカメ、アワビ、ホタテ貝などの養殖施設が撤去された）。世紀広場を中心に青島大劇院、青島博物館、青島国際会展中心などの大型施設、海水浴場、青島国際ビール城、ゴルフコース、極地海洋世界などが位置する。石老人という地名は、このあたりの海岸から100mほど沖に、高さ17mの石柱が立ち、これがひとりの老人が海に坐るように見えることから名づけられた（石の真んなかに直径1mほどの穴が空いている）。

青島大劇院／青島大劇院 ★☆☆
qīng dǎo dà jù yuàn
ちんたおだいげきいん／チィンダァオダアジュウユゥエン

　音楽や演劇などが演じられ、青島の文化発信の場となっている青島大劇院。1600席をもつ馬蹄形のプランをした「歌劇庁」、クラシックコンサートが行なわれる「音楽庁」、戯曲や活劇が行なわれる「多功能庁」などからなる。2010年に完

世紀広場

深圳路
秦嶺路
青島国際会展中心
雲嶺路
苗嶺路
地鉄11号線
ハイアール科技館
世紀広場
青島博物館
苗嶺路
地鉄2号線
青島大劇院
海閥路
香港東路
青島国際ビール城
石老人浴場
0km　　　　　1km
海水浴場

石老人

N
深圳路
青島博物館
世紀広場
青島国際ビール城
石老人
青島清真寺へ
海水浴場
康有為墓
地鉄2号線
香港東路
極地海洋世界
黄海
0km　　　　　5km

成し、建物の設計には青島の山、海などの自然がとり入れられている。

青島博物館／青島市博物館 ★☆☆
qīng dǎo shì bó wù guǎn
ちんたおはくぶつかん／チンダァオシイボオウウグゥアン

青島博物館は1959年に設立され、かつて旧市街の紅卍字会旧址にあったが、青島新市街の建設にあわせて2000年、石老人で開館した。青島地域の古代史からドイツ、日本統治時代まで、青島の歴史を概観する「青島史話」、青花はじめ明清時代の陶磁器を集めた「彩瓷聚珍」、さまざまな時代の貨幣が見られる「古銭今説」、仏像や各種工芸品のならぶ「百工奇技」、美しい書画が展示された「左臂丹青」、山東省の民間木版年画を収蔵する「郷間画記」といった展示が、3階よりなるフロアに続く。膨大な収蔵品のなかでもとくに2体の「北魏石仏像(丈八仏)」が有名で、それぞれ高さ6m(一丈八尺)、重さ30トンとなっている。結われた髪、面長の顔、左手を下に、右手のてのひらを外に向ける施無畏印を結んだ静かなたたずまいは北魏時代の傑作にあげられる(山東省臨淄の龍泉寺にあったものが、1928~30年に青島に運ばれた)。

★★☆
石老人／石老人 シイラァオレン

★☆☆
青島大劇院／青島大劇院 チンダァオダアジュウユゥエン
青島博物館／青島市博物館 チンダァオシイボオウウグゥアン
ハイアール科技館／海尔科技館 ハァイアアカアジイグゥアン
青島国際会展中心／青島国际会展中心 チンダァオグゥオジイフゥイチャンチョンシィン
青島国際ビール城／青島国际啤酒城 チンダァオグゥオジイピイジョウチャン
極地海洋世界／极地海洋世界 ジイディハァイヤンシイジエ
康有為墓／康有为墓 カァンヨウウェイムウ

北魏時代に制作された2体の北魏石仏像

青島博物館は石老人へ遷って開館した

ここで青島ビール祭りが行なわれる

青島大劇院はじめ多くの巨大建築が集まる

ハイアール科技館／海尔科技馆★☆☆

hǎi ěr kē jì guǎn

はいあーるかぎかん／ハァイアアカアジイグゥアン

　青島に本拠地をおく世界的家電メーカーのハイアールによるハイアール科技館。ハイアールは青島で冷蔵庫工場として出発し、1984年に張瑞敏が工場長に就任してから、事業を拡大させ、やがて白物家電からパソコン、ロボットまで製造する総合家電メーカーへと成長した。この科技館は、1999年に建てられ、「世界家電展庁」「海爾家電発展庁」「21世紀未来家庭と未来社会庁」といった展示のなかで、ハイアールの歩みや未来社会が呈示されている。

青島国際会展中心／青岛国际会展中心★☆☆

qīng dǎo guó jì huì zhǎn zhōng xīn

ちんたおこくさいかいてんちゅうしん／チンダァオグゥオジイフゥイチャンチョンシィン

　石老人の中心にあたる世紀広場に立つ青島国際会展中心。周囲を豊かな自然に囲まれ、国際電子家電博覧会、海洋漁業展示会、ファッション・ウィーク、モーターショーをはじめとするビジネス商談、国際会議など大型イベントが行なわれる。また中華料理、西洋料理などのレストランや各種レジャー施設も併設する。

青島国際ビール城／青岛国际啤酒城★☆☆

qīng dǎo guó jì pí jiǔ chéng

ちんたおこくさいびーるじょう／チンダァオグゥオジイピイジョウチャン

　青島ビール祭り（青島国際啤酒節）の会場となっている青島国際ビール城。ドイツ植民都市として発展してきた青島では、ドイツ人に飲ませる目的で、本場ドイツから技術者や麦芽、ホップ、瓶まで輸入して青島ビールがつくられた。こうした品質の高さから、青島ビールは今では世界を代表するブランドに成長している。青島国際ビール城は1994年に整備され、青島ビールをかたどったモニュメントを中心に、舞

台劇場、ビール広場、ビール宮、ビール街などからなり、娯楽区、商貿区も用意されている。

極地海洋世界／极地海洋世界★☆☆
jí dì hǎi yáng shì jiè
きょくちかいようせかい／ジイディハァイヤンシイジエ

極地海洋世界は、極地海洋動物館、歓楽劇場、美食酒吧街、商業街からなる海洋総合テーマパーク。白鯨、ペンギン、北極グマ、ラッコ、セイウチなどが飼育され、イルカショーなども行なわれている。2006年に開館した。

康有為墓／康有为墓★☆☆
kāng yǒu wéi mù
こうゆういぼ／カァンヨウウェイムウ

清朝末期の政治家、思想家の康有為(1858〜1927年)は、戊戌の変法の失敗、亡命生活をへて、晩年の1923〜27年を青島で暮らした(政治からは引退し、著述活動などにはげんだ)。康有為は自分を「糠(ぬか)」にたとえ、米糠はすぐに風に吹き飛ばされてしまうだろうが、象の耳におかれたら飛ばされないだろうと、当初、李村象耳山の墓に埋葬された。その後、文革(1966〜76年)時に破壊され、青島大学の構内に高さ2m、周囲16.4mの新たな墓が整備された。

青島清真寺／青岛清真寺★☆☆
qīng dǎo qīng zhēn sì
ちんたおせいしんじ／チンダァオチンチェンスウ

黄金のドームを載せるイスラム教寺院(モスク)の青島清真寺。アーチ状のデザイン、アラビア文字、イスラム教を示す緑、2本のミナレットが印象的な外観をもつ。白い帽子をかぶった回族の人びとが礼拝に訪れる。

東アジアの紐帯点青島

**山東半島のちょうどつけ根部分に位置する青島
黄海を越えて韓国、日本など東アジア諸国と
密につながる都市となっている**

山東屈指の経済都市

　青島は、省都済南にくらべて日本や韓国といった北東ア
ジアへの地の利をもつ。また即墨、膠州、平度、莱西などの
衛星都市、中国有数の人口を抱える山東省、ひいては天津や
北京を後背地に抱える。現在では青島、天津、大連を中心と
する「環渤海経済圏」を構成し、華南の「珠江デルタ(広州、深
圳)」、華中の「長江デルタ(上海、蘇州)」とならぶ第3の経済圏と
して注目されている。1984年に対外開放されて以来、青島
は行政の指導、支援策もあって経済成長をとげ、華北有数の
コンテナ取り扱い量をほこる港湾設備、複数の開発区、海洋
資源の開発や利用を特徴とする経済都市となっている。ま
た熟練労働力が豊富で、気候の温暖さ、貧富の差の少なさを
はじめとする住環境のよさも強みにあげられる。

大企業を生んだ青島

　20世紀後半以降、中間層の育った中国では、冷蔵庫、エア
コン、洗濯機などの家電産業は花形産業であり、そのトップ
メーカーのうち、海爾集団(ハイアール)と海信集団(ハイセンス)
のふたつが青島に本社をおく。1984年、張瑞敏が青島の破
綻しかけた冷蔵庫工場の工場長に就任したとき、在庫商品

の20％が低品質だったため、張瑞敏は76人の従業員に76台の低品質な冷蔵庫を選ばせ、公衆の面前で巨大ハンマーを使って破壊させた。こうして品質向上への強い意志を示し、顧客の立場に立つことや、実力主義の組織改革を進めて、ハイアールを世界的家電ブランドへと押しあげた（張瑞敏が青島冷蔵庫の第4代工場長に就任した日がハイアールの創業日となっている）。一方のハイセンスは「技術の海信（ハイセンス）」と言われるように、全従業員のなかで技術者の割合が高く、研究開発費に予算の多くをさくことで知られている。100年前、ドイツ統治下の青島で生まれた青島ビールの世界的成功をなぞるように、青島の企業は、世界的な名声を得ることになった。

韓国・朝鮮と青島

　求法のため入唐した円仁は、847年、山東半島先端の赤山浦から、新羅（韓国）船に乗って日本に向かって帰国したという。山東半島と韓国・朝鮮は地理的に近いこともあって、古くから交流があり、現在も日本人や日本企業をはるかに上まわる数の韓国人や韓国企業が青島に進出している。とくに1992年の中韓国交樹立後、韓国企業の青島進出が加速し、李滄区と城陽区、また香港中路では香港花園に、ハングル文字のあふれるコリアンタウンが位置する。1930年代には中国朝鮮族が青島に移住し、朝鮮族タウンを各地に形成していた経緯もあり、韓国企業と青島の中国人を結ぶ存在にもなっている（青島は第2の延辺と言われるほか、韓国人の多く暮らす香港花園は韓国城、韓国花園と呼ばれる）。青島と韓国の強い関係は、深圳と香港、厦門と台湾、大連と日本の関係に近いと指摘される。

嶗山鑑賞案内

**春秋戦国時代から道士が訪れたため
道教発祥の地のひとつにあげられる嶗山
かつて九宮、八観、七十二庵があったという**

嶗山／嶗山★★★
láo shān
ろうざん／ラオシャン

　東は嶗山湾、南は黄海にのぞみ、海からの波しぶきが打ち寄せる「海上名山第一」の嶗山。泰山とならぶ山東省の名山で、『斉記』に「泰山雲高しといえども、東海の嶗にはしかず」とあり、嶗山の峰々、絶壁、泉、自然は、陽射しや雲もあいまって奇観をつくり、情景が次々と変化していく。春秋戦国時代から斉燕地方の方士がこの地に居を構え、紀元前219年に始皇帝が仙薬を求めて登ったことから、嶗山は道教発祥地のひとつにあげられる。その後も、漢の武帝が訪れ、唐の玄宗がここで仙薬をつくらせたとされ、唐の詩人李白は嶗山の美しさを詩に詠んでいる。ここ嶗山には、漢代（紀元前140年）建立の太清宮があったが、とくに宋元（10〜14世紀）時代になると道観や仏教寺院が次々と建てられ、聖地化していった。高さ1132.7mの巨峰（嶗頂）を中心に、嶗山景区全体の面積は300平方キロメートルにおよび、けわしい東部となだらかな西部といったように各景区で特徴をもち、豊富な降雨量、温暖な気候から植生が豊かなことでも知られる。

崂山

華楼遊覧区

華楼宮

北九水遊覧区

太平宮

仰口遊覧区

巨峰遊覧区

巨峰

華厳寺

棋盤石遊覧区

太清遊覧区

石老人（崂山商圏）

游客中心

流清河景区

上清宮

太清宮

N

0km   10km

流清河景区

徳文石刻

石屋

閻王鼻子

蟹子夾

北天門

野猪石

天柱

南天門

玄武洞

馬鞍子

流清河水庫

梯子石

青蛙石

鮑魚島

流清湾

伏鰲

N

崂山という名称

「崂山(láo shān)」は「労山(láo shān)」、「牢山(láo shān)」とも表記される。こうした名称がつけられたのは、始皇帝(紀元前259〜前210年)がこの山に巡行した際、付近の住民が道路づくりや運搬の労役を担い、苦しんだからだとも、この山を登るのに労苦が多いからだともいう。

流清遊覧区／流清游览区★☆☆
liú qīng yóu lǎn qū
りゅうせいゆうらんく／リィウチィンヨウランチュウ

崂山への入口部分にあたる流清遊覧区。南側に東海が広がり、打ち寄せる波しぶき、岩礁などの美しい景色が見られる。流清湾には大亀が伏せたような「伏鰲」、カエルのかたちをした「青蛙石」などの奇岩が残る。景区の名前は流清河からとられている。

太清遊覧区／太清游览区★★★
tài qīng yóu lǎn qū
たいせいゆうらんく／ターチィンヨウランチュウ

崂山の南東隅に位置し、山と海に囲まれた景勝地の集まる太清遊覧区。その中心に位置する「太清宮」は、漢代の紀元前140年に建立されて以来、2000年以上に渡って続く道教聖地で、「道教全真天下第二叢林」と刻まれた石刻も見える。太清遊覧区にはこの「太清宮(下宮)」に対する「上清宮(上宮)」のほか、1162年の開削で、明代に道士の孫紫陽が修行したという「明霞洞」、「我昔東海上,労山餐紫霞」と詠った唐代の詩人李白にちなむ「太白石」、高さ30mの断崖から落下し、水しぶきがあたかも玉龍が飛舞するような「龍潭瀑(玉龍瀑)」などの景勝地が点在する。また海に突き出した半島の突端には「崂山頭」、高さ70mの断崖「八仙墩」が位置する。このあたりは気候が温暖なため、江南の植物も繁茂し、「小江南」とも

太清宮

観海亭

混元殿

文昌殿

財神殿

三清殿

康有為刻石

邱祖石刻

西王母殿

東華殿

観岳殿

三宮殿

三皇殿

耿真人祠

龍頭楡

漢柏凌霄

竹林

竹林

儀門

元君閣

元辰閣

出口

鼓楼

入口

牌坊

影壁

呼ばれる。

太清宮／太清宮★★☆
tài qīng gōng
たいせいきゅう／タァイチィンゴォン

　漢代の紀元前140年に建立された由緒正しい歴史をもつ太清宮。青島最大の道教寺院で、960年、宋の太祖(在位960～976年)が華蓋真人のための道場としたことで、現在の規模となった。その後、さびれることもあったが、崂山を代表する道観として持続し、「上清宮(上宮)」に対して、「下清宮(下宮)」とも呼ぶ。三宮殿、三清殿、三皇殿などが位置し、玉清元始天尊、上清霊宝天尊、太清道徳天尊という道教の最高神格「三清」がまつられている。三清殿の前に決して枯れないという「神泉水」がわくほか、明代の1588年に建てられた仏教寺院海印寺跡も残る(海印寺として再興されたことがあった)。宝珠山の麓、自然と調和するように三方を山に囲まれてたたずみ、周囲は美しい花や樹木で彩られている。

崂山は道教の発祥地のひとつ見られている

青島市街から東に30km、ここが崂山の入口

青島博物館で見た展示、昔の青島

青島ビールや家電といった世界的ブランドが育まれた

上清宮／上清宮 ★★☆
shàng qīng gōng
じょうせいきゅう／シャンチンゴォン

　山々、樹木、渓流といった自然に抱かれるように立つ道教寺院の上清宮。古くは崂山山中に位置し、崂山廟といったが、その後、宋の太祖(在位960〜976年)がこの地に遷して新たに創建し、上清宮と命名した。元代に再建され、以後、増改築を重ね、全真教の高道僧たちがここで説法を行なっている(なかでも長春真人が崂山で三度、布道し、その衣冠塚が残る)。上清とは玉清、太清とともに道教の最高の天境を意味する。

蒲松齢と崂山道士

　古くから多くの道士が暮らした道教聖地の崂山には、さまざまな物語が伝わる。そのひとつが山東省出身の蒲松齢の記した『崂山道士』で、蒲松齢は1672年、崂山を訪れ、太清宮に2か月滞在している(蒲松齢は怪奇小説集『聊斎志異』の著者で、『崂山道士』はそのなかのひとつ)。『崂山道士』は、王七が崂山の道士に弟子入りした話で、王七は道士から壁抜けの術を教えてもらった。そして、道士は「家に帰っても壁抜けができることを言ってはならない」「邪念があっても術は成功しない」と告げた。崂山を下山した王七は早速、妻に「壁抜けの術」のことを話したが、妻は信じなかった。そこで王七は術を見せようと、壁に向かって突進したが、見事、壁にぶつかって「壁抜けの術」はできなかったという。また蒲松齢の著作のなかで、崂山下清宮(太清宮)に下宿する黄生と、そこに咲く「牡丹の精」香玉との物語『香玉』も知られる。

棋盤石遊覧区／棋盘石游览区 ★☆☆
qí pán shí yóu lǎn qù
きばんせきゆうらんく／チイパァンシイヨウラァンチュウ

　高さ657mに立つ長さ15m、幅8mの「棋盤石」から名づけ

崂山

華楼遊覧区
華楼宮
北九水遊覧区
太平宮
仰口遊覧区
華厳寺
棋盤石遊覧区
巨峰遊覧区
巨峰
游客中心
流清河景区
上清宮
太清遊覧区
石老人(崂山商圏)
太清宮
N
0km
10km

円月詩石刻
鷹石
塘子観
文筆峰
丘詩二十首
白龍洞
獅子峰
仰口湾
綿羊石
仙桃
太平宮
寿字峰
覓天洞
骷髏石
天苑
関帝廟
擎天柱
天尊崮
将軍崮
弥勒仏
白雲洞

仰口遊覧区
N

崂山

華楼
遊覧区

華楼宮

北九水
遊覧区

太平宮

仰口
遊覧区

華厳寺

棋盤石
遊覧区

巨峰
遊覧区

巨峰

太清
遊覧区

石老人
(崂山商圏)

游客
中心

流清河景区

上清宮

太清宮

N

0km

10km

巨峰遊覧区

N

元宝峰

巨峰口

虔女峰

五峰
仙館

丹炉峰

茶澗廟

王子泉

鉄索橋

巨峰

靈旗峰

徳文石刻

乾坤洞

朱雀石

一線天

自然碑

八卦門

慈光洞

閻王鼻子

鉄瓦殿

蟹子夾

金剛崮

僧行
道随

道教全真天下第二叢林の文字

崂山観光の中心地となっている太清宮

波が打ち寄せる、流清遊覧区

各景区のあいだはバスが走っている

られた棋盤石遊覧区。東に崂山湾が広がり、崂山にある唯一の仏教寺院「華厳寺」が残る(崂山仏教は、264年に崇仏寺が建てられたことをはじまりとする)。明代の1652年、即墨の黄宗昌がこの地で華厳庵を開き、たびたび兵火で焼失したが、その度に再建され、現在の「華厳寺」となった。また棋盤石遊覧区には412年、インドへの求法の旅の帰途、崂山南岸に漂着した法顕にまつわる「法顕広場」も位置する(水路を見誤り、海水をとりながらこの地にいたった)。ほかには、崂山の道士が修行した天然の石洞「那羅延窟」、海抜640mにある1714年創建の道観の「明道観」が景勝地となっている。

仰口遊覧区／仰口游览区 ★☆☆
yǎng kǒu yóu lǎn qù
ぎょうこうゆうらんく／ヤァンコウヨウラァンチュウ

　崂山北東部に位置し、仙山勝境、洞天福地、海上宮殿とたたえられる「太平宮」が位置する仰口遊覧区。「太平宮」は960年、宋の太祖によって華蓋真人のために建てられ、正殿(三清殿)と、山官殿、真武殿という左右の配殿が伽藍をつくる。近くには、巨大な岩塊の「獅子峰」、山上の岩壁に刻まれた「寿の字(寿字峰)」、「覓天洞」や「白雲洞」といった道教の聖地(洞天)も位置する。仰口遊覧区の丘陵部からは、仰口湾に面した長さ2200mの砂浜(水平線)を見ることができ、蜃気楼があらわれることもあるという。海岸近くには関羽をまつる「関帝廟」も残る。

巨峰遊覧区／巨峰游览区 ★☆☆
jù fēng yóu lǎn qù
きょほうゆうらんく／ジュウフェンヨウラァンチュウ

　高さ1132.7m、崂山最高峰の巨峰(崂頂)を中心とした巨峰遊覧区。崂山の岩塊は白亜紀(～6500万年前)から形成されたと考えられ、「巨峰」を中心に霊旗峰、虔女峰、丹炉峰などの奇峰や奇岩が周囲に林立する。「海上名山第一」の石刻が位

崂山

華楼
遊覧区

華楼宮

石老人
(崂山南園)

N

0km   10km

太平宮

仰口
遊覧区

北九水
遊覧区

華厳寺

棋盤石
遊覧区

巨峰
遊覧区

巨峰

太清
遊覧区

游客
中心

流清河景区

上清宮

太清宮

北九水遊覧区

飛来石

玉筍峰

駱駝峰

臥駝

企鵝峰

定僧峰

飛龍潭

玉母崮

仙古洞

太和観

蔚竹庵

将軍崮

鳳凰崮

錦帆嶂

内三水
水庫

金鶏報暁

龍門

観景亭

内七水
水庫

冷翠峡

魚鱗峡

獅身人面石

観瀑亭

潮音瀑

靴子石

N

崂山

華楼
遊覧区
華楼宮
石老人
(崂山雕塑園)
太平宮
仰口
遊覧区
北九水
遊覧区
華巌寺
棋盤石
遊覧区
巨峰
遊覧区
巨峰
游客
中心
太清
遊覧区
上清宮
太清宮
流清河景区
0km
10km
N

華楼遊覧区

崂山水庫
響石
白鶴
瞭翅
霊峰道庵
福泰庵
白鶴峪
迎仙観
華表峰
霊煙崮
玉皇洞
南天門
華楼宮
華陽
書院
石門峰
N

置し、巨峰から見る日の出は「巨峰旭照」として知られる。

北九水遊覧区／北九水游览区 ★☆☆
běi jiǔ shuǐ yóu lǎn qū
ほくきゅうすいゆうらんく／ベイジュウシュイヨウラァンチュウ

　巨峰の南斜面から流れ出る、全長33kmの白沙河上流に位置する北九水遊覧区（北九水のほか、南九水、内九水が位置する）。9度曲がる流れのなかには、九水十八潭と呼ばれる景勝地が点在し、「冷翠峡」や「魚鱗峡」、潮のような音を出す「潮音瀑」を通って渓流が11km続く。周囲には「蔚竹庵」のような景勝地も多く、周囲には季節にあわせて変化する温帯植物が繁茂する。

華楼遊覧区／华楼游览区 ★☆☆
huá lóu yóu lǎn qū
かろうゆうらんく／フゥアロウヨウラァンチュウ

　崂山の北西部、崂山水庫のそばに位置する華楼遊覧区。高さ348mの華楼峰がそびえ、元代の1325年、劉志堅によって建てられた「華楼宮」が残る。この「華楼宮」には崂山の名泉のひとつ金液泉がわいているほか、多くの石碑も見られる。

市北城市案内

青島市街の北側に位置する市北
香港中路、台東へのアクセスがよく
中央商務区として開発された

青島CBD／青岛CBD★☆☆
qīng dǎo CBD
ちんたおしーびーでぃー／チンダァオシービーディー

　高層ビルの林立する市北のCBD商圏(中央商務区)。かつて青島市街部から少し離れた集落があったところだが、20世紀後半から発展をはじめた。現在は青島旧市街と、香港中路、李村とならぶ商業圏を形成し、「青島CBD万達広場」をはじめ、大型ショッピングモールやビジネスセンターが集まる。

青島図書館／青岛市图书馆★☆☆
qīng dǎo shì tú shū guǎn
ちんたおとしょかん／チンダァオシイトウシュウグゥアン

　市北に位置する7階建ての青島図書館。青島では、ドイツ統治時代の1899年、膠州図書館が開かれ、この青島図書館は1924年に建てられた膠澳商埠公立通俗図書館を前身とする。現在の青島図書館は2002年に一般に開放され、正面の巨大なフレームは「知識の門」を意味する。

撫順路蔬菜副食品批発市場／抚顺路蔬菜副食品批发市场 ★☆☆

fǔ shùn lù shū cài fù shí pǐn pī fā shì chǎng

ぶじゅんろそざいふくしょくひはつしじょう／フウシュンルウシュウツァイフウシイピンピイファシイチァアン

　　青島近郊の農村地帯から運ばれてくる野菜が集まる撫順路蔬菜副食品批発市場。青島最大規模の野菜市場で、ほうれん草、空芯菜、ニラ、チンゲンサイ、ナス、カリフラワー、トマト、きゅうり、ネギ、白菜、バレイショ、米、大豆、とうもろこし、落花生などがならぶ(市南、市北、四方、李滄の青島各商圏からのアクセスがちょうどよい)。トラックで乗りつけてくる売り手、各地から買いつけにやって来る買い手が集まる。

四方城市案内

ドイツ植民都市のあった青島旧市街の北
大港へも近い台東から四方の一帯は
かつて日本人が多く進出した場所でもあった

四方／四方★☆☆
sì fāng
しほう／スウファン

　青島市街の北東6kmに位置し、明清時代からの伝統をも
つ四方。1898〜1914年のドイツ統治時代、膠済鉄道の四方
駅がつくられ、続く日本統治時代には青島に隣接する立地
が注目され、四方、滄口には多くの日系企業の工場があっ
た。現在は青島のベッドタウンとなっているほか、青島民俗
館(海雲庵)が位置する。

青島民俗館／青岛民俗馆★☆☆
qīng dǎo mín sú guǎn
ちんたおみんぞくかん／チィンダァオミンスウグゥアン

　明(1368〜1644年)代に建設され、以来500年を超す伝統を
もつ海雲庵。もともと海雲庵は道教寺院(道観)で、四方はそ
の門前町だった。現在、青島民俗館として開館していて、「序
庁」「民俗風情」「港口風情」「城市風情」などの展示が見られ
る。

★☆☆
四方／四方 スウファン
青島民俗館／青岛民俗馆 チィンダァオミンスウグゥアン
青島CBD／青岛CBD チィンダァオシービーディー

Li Cun
李村城市案内

青島市街の北30kmに位置する李村
現在は青島の衛星都市のひとつとして注目され
李村商圏をつくっている

李村／李村 ★☆☆

lǐ cūn
りそん／リイチュン

青島市街と郊外の農村地帯のあいだ、李村河中流ほとりに位置する李村。各地とつながる街道がこの地に集まり、明(1368〜1644年)代には市が立っていたという。ドイツや日本の統治時代から、李村に行政機関がおかれていたが、こうした性格は現在でも続き、青島の「城郷接合部」となっている。各地から集まった物産、商品が露天でならぶ定期市の「李村大集」や、韓国、朝鮮族が李村に集住していることなどが知られ、現在では大型ショッピングモールも多く立っている(農村部の中低所得者層をターゲットとすることを特徴とする)。1994年、この李村を中心に李滄区ができ、また石老人とこの李村のちょうどあいだ(李村南東3.5km)に青島高科技工業園も整備されている。

向陽路／向阳路 ★☆☆

xiàng yáng lù
こうようろ／シィアンヤァンルウ

李村商圏の中心部を走る向陽路。あたりは歩行街となっていて、「崂山百貨大楼」「青島北方国貿大厦」などの大型店舗がならぶ。

M6創意産業園／M6创意产业园 ★☆☆

M6 chuàng yì chǎn yè yuán

えむろくそういさんぎょうえん／エムリュウチュウアンイイチャンイエユゥエン

　　戦前、日本の紡績工場(鐘淵系の公大紡績)のあった場所が、M6創意産業園として生まれ変わった。李滄区西部の青島北駅(李村西5km)に近く、ビジネス拠点、文化センター、シーフードのならぶグルメ街、ホテルや住宅などが集まる。緑地を多くとったデザイン性の高い空間となっている。

青島紡績博物館／青岛纺绩博物馆 ★☆☆

qīng dǎo fǎng jī bó wù guǎn

ちんたおぼうせきはくぶつかん／チィンダァオファンジイボオウウグゥアン

　　1934年に建てられた日系の紡績工場があった場所に開館した青島紡績博物館。紡績業は青島を工業化させた、かつてのこの街の主要産業だった。当時の工場で使われていた機械や日本統治時代の様子、資料などの展示を見ることができる。

郊外が市街化していく、街角の様子

バスが集まる交通の起点となっている汽車站

開発区城市案内

郊外を飲み込みながら発展していく青島
赤屋根のならぶ青島旧市街のちょうど対岸に
開発区が整備された

膠州湾／胶州湾★☆☆

jiāo zhōu wān
こうしゅうわん／ジィアオチョウワン

　山東半島のつけ根部分、ちょうどとっくり状に東西から
岬が伸びる膠州湾。山東半島でもっとも大きな海湾で、冬も
凍結せず、大型船舶も入港できる天然の良港となっている。
この膠州湾は唐代から宋代まで貿易船が行き交う海上交易
の拠点（当時の中心は膠州）だったが、清代にはさびれた漁村が
点在するばかりだった。こうしたなかドイツは、1862〜72
年に地理学者リヒトホーフェンを派遣し、その優れた地勢
が確認されたことで、膠州湾は注目されるにいたった（その後
のドイツによる青島租借へとつながっていった）。膠州湾では干満の
差がはげしく、塩の産地であったほか、あさりの養殖もさか
んに行なわれてきた。

膠州湾海底トンネル／胶州湾海底隧道★☆☆

jiāo zhōu wān hǎi dǐ suì dào
こうしゅうわんかいていとんねる／ジィアオチョウワンハァイディスイダァオ

　青島市街と対岸の開発区を結ぶためにつくられた長さ
7800mの膠州湾海底トンネル。膠州湾東西を結ぶため、
2011年に完成し、それまでのフェリーによる往来から大幅
に利便性が高まった。またこの南の膠州湾海底トンネルに

開発区

膠州湾

青島駅
青島
市街

膠州湾
海底
トンネル

青島
前湾港

斉長城
老龍頭

江
山
南
路

青島経済
技術開発区

創業
広場

金沙灘

漓江西路

江
山
中
路

黄海

N

0km   10km

対して、北に青島膠州湾大橋がかかっている。

青島経済技術開発区／青岛经济技术开发区★☆☆
qīng dǎo jīng jì jì shù kāi fā qū
ちんたおけいざいぎじゅつかいはつく／チンダァオジンジイジイシュイカァイファアチュウ

膠州湾口をはさんで青島市街の対岸に位置する青島経済技術開発区(黄島区)。このあたりには黄島と呼ばれる島が浮かび、小漁村が点在するばかりだったが、改革開放の流れを受けて、大連、天津、上海、杭州とともに1984年から経済特区として開発がはじまった(「青」島とともに、膠州湾口に浮かんでいた「紅」島と「黄」島はつながった)。企業誘致のためにインフラが整備され、企業の研究、開発、製造拠点である工業園がこの開発区に位置する。街は「開発区創業広場」を中心に、華北有数の「前湾港(青島新港)」、多くの大型商業施設がならぶ「長江路」、中国有数のビーチである「金沙灘」など、海と緑豊かな自然をもとに、計画された街区が広がる。

青島前湾港／青岛前湾港★☆☆
qīng dǎo qián wān gǎng
ちんたおぜんわんこう／チンダァオチィエンワンガァン

青島経済技術開発区につくられた大型港湾の前湾港(青島新港)。コンテナ、鉄鉱石、石炭、石油などに応じたターミナルが用意され、対岸(市街側)の大港、小港にくらべて大型船舶も接岸できる。隣接して保税区が整備されていて、大連、天津にならぶ華北を代表する港湾となっている。

金沙灘／金沙滩 ★☆☆
jīn shā tān
きんさたん／ジンシャアタァン

　黄海に面して全長3500m、幅300mの月牙型のビーチをもつ金沙灘。青い海、黄色い砂浜、自然の緑が鮮やかな色合いをつくり、パラソルがならぶ。柔らかな良質の砂をもつ中国屈指のビーチとなっている。

斉長城老龍頭／斉长城老龙头 ★☆☆
qí cháng chéng lǎo lóng tóu
せいちょうじょうろうりゅうとう／チイチャンチャアンラオロォントウ

　春秋戦国時代、山東省をおさめた斉は、南の魯国との国境沿いに長城を築いた。この斉の長城は西は済水(黄河)のほとりから発して、泰山の北を通り、琅邪の北側の青島黄島で海にいたった。その長さ500km、一千里におよんだことから、「千里の長城」とも呼ぶ(斉の長城が最古のもので、その後、始皇帝が各地の長城をつないで万里の長城を築いた)。斉長城は紀元前6世紀ごろに建てられはじめたが、現在のものは開発区の整備にあわせて新たに再建された。斉長城老龍頭はじめ、青島黄島区内で50km続き、高さ6mの烽火台などが見られる。

琅邪台鑑賞案内

紀元前221年、中国全土を統一した始皇帝
自らの故郷の乾燥地帯とはまったく異なり
どこまでも広がる海をここ琅邪台から眺めた

琅邪台／琅琊台★★☆
láng yá tái
ろうやだい／ラァンヤアタァイ

　東海に突き出した岬に位置し、どこまでも続く水平線が視界に入る海抜183.4mの琅邪台。波は穏やかで、冬は暖かく、夏はすずしい心地よい気候をもつ。琅邪台はかつて斉の八神のひとつ「四季をまつる四時主(斉の東方の琅邪台)」の聖地で、春秋戦国時代には中国五大港のひとつにあげられた。紀元前221年、中国を統一した始皇帝は五度に渡る巡行のなかで、三度、琅邪を訪れている。大海に面した美しい自然や景色のとりこになり、ここに壮大な離宮を築いて滞在し、徐福をはじめとする斉や燕の方士たちと面会した(琅邪城東南の大楽山に新たに築かれた琅邪台は三層からなり、最上部から大海をのぞむことができたという)。春秋戦国から秦漢時代までは即墨とともに青島近郊の中心都市であったが、隋唐(6～10世紀)時代になると、登州、莱州が台頭し、琅邪は衰退していった。1993年からこの琅邪台を整備する計画が進み、現在は琅邪台風景区として観光地化されている。

琅琊台

濱海大道

登台路

琅琊台

観龍閣

群雕像

望越楼

刻石亭

琅琊文化
陳列館

徐福殿

斎堂島

N

青島〜琅琊台

膠州湾

青島
市街部

旧市街

香港
中路

開発区

金沙灘

黄海

道大海濱

琅琊台

琅琊台

董家口

0km

50km

N

琅琊文化陳列館／琅琊文化陈列馆 ★☆☆

lǎng yá wén huà chén liè guǎn

ろうやぶんかちんれつかん／ラァンヤアウェンフゥアチェンリエグゥアン

　　徐福などの斉の方士たちによる「祈福文化」、秦の始皇帝がたびたび訪れるなど「帝王文化」をあわせもつ琅琊を紹介した琅琊文化陳列館。両手を大きく広げた「千古一帝秦始皇」の始皇帝像、清末民国の琅琊人の王和沛の描いた「琅琊台図」が知られる。1999年に建てられた。

徐福殿／徐福殿 ★☆☆

xú fú diàn

じょふくでん／シュウフウディエン

　　斉では神仙思想や方術をもちいる方士の力が強く、徐福はそうしたなかのひとりだった。紀元前219年、琅琊を訪れた始皇帝に対し、徐福は東方の海にあるという神仙の棲む「蓬莱、方丈、瀛洲」や「不老不死の仙薬」について上奏した。その話を聞いた始皇帝は莫大な費用を投じて、徐福と童男童女3000人を東海へと派遣したが、徐福はそのまま帰ってこず、日本に到着したともいう。東方の海上にときおり見えたという「蓬莱、方丈、瀛洲」は蜃気楼だと考えられていて、

青い海と緑の自然、青島進出を後押しする好環境

1984年の対外開放からわずかの期間で成長をとげた

青島市街で食事はとっておきたい

始皇帝が不老長寿への想いをめぐらせた海

徐福の出港地は琅琊台のほか、秦皇島、連雲港など複数の候補地があげられている。徐福殿には、徐福の塑像がおかれている。

観龍閣／观龙阁 ★☆☆
guān lóng gé
かんりゅうかく／グゥアンロォンガア

中央の堂々とした二層の楼閣をはじめ、5つの亭閣と東西の回廊からなる見晴台の観龍閣。赤色の柱と黒の屋根瓦をもつ伝統的な中国様式の建物となっている。「龙(龍)」の文字が見えるほか、回廊には明代の碑刻などが残る。

群雕像／群雕像 ★☆☆
qún diāo xiàng
ぐんちょうぞう／チュンディアオシィアン

秦の始皇帝、徐福、胡亥、李斯、趙高らをかたどった彫刻の群雕像。紀元前219年、始皇帝は琅琊台に3か月滞在し、3万人を移住させて、琅琊台を整備したという。始皇帝が琅琊台を訪れた紀元前219年、前218年、前210年の三度のうち、群雕像では紀元前210年に徐福と謁見したときの様子が描かれている。

刻石亭／刻石亭 ★☆☆
kè shí tíng
こくせきてい／カアシイティン

始皇帝は巡行にあたって東方の山と海に7つの刻石を建て、天下を統一した秦の徳を示した。琅琊台に伝わる高さ129cm、幅67.5cmの刻石は、始皇帝ではなく、第2代胡亥のもので、宰相李斯によって記された。秦が行なった「文字や度量衡の統一」に関する内容が、13行86字で刻まれていて、この刻石の本物は北京歴史博物館に収蔵されている。

望越楼／望越楼 ★☆☆
wàng yuè lóu
ぼうえつろう／ワンユエロウ

　春秋時代、呉越の戦いに勝利して覇を唱えた越王勾践(～前465年)は、紀元前472年に斉の琅邪に都を遷した。越と斉は海上交易でつながりがあり、中原諸国に号令するために都を遷したとも、斉の庇護下に入ったとも考えられる。望越楼は越王勾践がこの地に観望台をもうけ、はるか南方の越を思ったという故事にちなんで、1993年に建てられた。剣をもった鎧兜姿の越王勾践像が立つ。

斎堂島／斎堂島 ★☆☆
zhāi táng dǎo
さいどうとう／チャイタァンダオ

　琅邪台の先に浮かぶ斎堂島。ここで始皇帝が不老不死を祈って斎戒を行なったと伝えられる。

青島郊外城市案内

**青島の発展とともに街は郊外へ拡大を続け
現在は、城陽、即墨、膠州といった衛星都市
もあわせて大青島経済圏をつくる**

青島膠州湾大橋／青岛胶州湾大桥★☆☆
qīng dǎo jiāo zhōu wān dà qiáo
ちんたおこうしゅうわんおおはし／チィンダァオジィアオチョウワンダアチャオ

膠州湾を横断する全長36.48kmの青島膠州湾大橋。東
の青島側、北の紅島、西の黄島を結び、膠州湾海底トンネ
ルとともに青島と、膠州湾沿いの街を一体化している。
2011年に完成した。

青島流亭国際空港／青岛流亭国际机场★☆☆
qīng dào liú tíng guó jì jī chǎng
ちんたおりゅうていこくさいくうこう／チィンダァオリィウティングゥオジジイチャアン

青島市街から北に23km離れた青島流亭国際空港。1958
年に建設され、華北を代表する空港となっている。青島
流亭国際空港の周囲には、桃やぶどうの農地が見られる
が、おおむね南の青島旧市街まで市街地が続く。

城陽／城阳★☆☆
chéng yáng
じょうよう／チァアンヤァン

青島北郊外に位置する城陽は、長らく即墨に属する行
政区画だった。北魏の武帝（424～452年）の創建になるとい
う法海寺が位置し、北斉時代の仏像も残る（法海寺は青島地

区を代表する古刹で、崂山へ続く地理をもつ）。青島流亭国際空港
への立地がよさが注目される。

即墨／即墨 ★☆☆
jí mò
そくぼく／ジイモオ

　　即墨は春秋戦国時代から山東半島の主都だったところ
で、秦代に県がおかれ、以後、この地域の政治、経済、文化
の中心地だった。隋代初期に今の即墨城が建てられ、以
来、1500年にわたる伝統がある（「膠東之花」とたとえられる）。
現在は青島の衛星都市群の一角を形成し、衣類や雑貨を
あつかう服装市場、小商品城などでも知られる。

膠州／胶州 ★☆☆
jiāo zhōu
こうしゅう／ジィアオチョウ

　　膠州湾という名前は、このあたりの中心地であった膠
州(街)に由来する（かつて青島は膠奥と呼ばれていた）。唐代、板
橋鎮が膠州におかれると、貿易の拠点となり、唐、北宋(7
～12世紀)代を通じて全国五大商埠のひとつだった。華北

★★★
香港中路／香港中路 シィアングァンチョンルウ
崂山／崂山 ラオシャン
★★☆
石老人／石老人 シイラァオレン
琅琊台／琅琊台 ラァンヤアタァイ
★☆☆
青島膠州湾大橋／青島胶州湾大桥 チンダァオジィアオチョウワンダアチャオ
青島流亭国際空港／青島流亭国际机场 チンダァオリィウティングゥオジイジイチャアン
城陽／城阳 チャアンヤァン
即墨／即墨 ジイモオ
膠州／胶州 ジィアオチョウ
膠州湾／胶州湾 ジィアオチョウワン
膠州湾海底トンネル／胶州湾海底隧道 ジィアオチョウワンハイディスイダァオ
青島経済技術開発区／青島经济技术开发区 チンダァオジンジイジイシュイカァイファアチュウ
金沙灘／金沙滩 ジンシャアタァン

最大の対外窓口で、海のシルクロードの拠点としてにぎわって「金膠州」と呼ばれた。膠州のもつ性格は、近代以降、青島にゆずることになったものの、現在、膠州は青島の衛星都市として注目されている。古い伝統をもつことから、剪紙や八角鼓などの民間芸能が盛んな地でもある。

青島郊外こぼればなし

**膠州湾にたたずむ小漁村からドイツ植民都市
20世紀後半以降の青島は
リゾート地としても注目されるようになった**

ドイツと崂山

　1898年、自国の宣教師殺害事件を口実に、ドイツは青島を租借し、植民都市青島の建設がはじまった。ドイツは青島郊外の崂山の優れた気候にも注目し、崂山中腹（標高460m）の柳樹台に保養地をつくった。またカリウム、ナトリウム、カルシウムなどの鉱物をふくんだ崂山のミネラルウォーターは、青島ビール製造の重要な役割を果たした（ほか崂山の水を使った崂山茶も知られる）。

滄口にあった日系企業

　1914年に勃発した第一次世界大戦で、日本が青島を占領すると、紡績、蚕糸、製粉、マッチ、石鹸、皮革、鶏卵といったさまざまな分野の日系企業が青島に進出し、大港に近い四方から滄口に大規模な日系工場が建てられていった。なかでも人びとの衣服に必要な綿花をあつかう紡績業が盛んで、日本の紡績業はまず上海に進出したが、1920年代以降は青島に集中した（青島経済の中心となっていた）。青島の紡績工場には在華紡（日系企業）と民族紡（中国資本）があった。

青島と海のシルクロード

　青島は1898年以降発展していったものの、それより
1000年も前、膠州湾は海のシルクロードの拠点として知
られていた。唐代の623年、膠州板橋鎮がおかれ、高麗や
日本の商人、僧侶はここから上陸して長安へ向かった。
その後も、膠州塔埠頭は中国沿岸部を往来するジャンク
船でにぎわい、南方の紙や陶磁器が運ばれてきた。山東
半島では、南側の膠州湾は、北側の蓬莱とならぶ要衝であ
り、こうした地の利に目をつけたドイツは、青島だけでな
く、膠州湾全域を租借地とした。当初、青島は「膠奥（膠州の
奥）」と呼ばれていた。

美しい自然と道観の甍、嶗山にて

豊かな海鮮料理も青島の魅力

『崂山区志』(青島市崂山区志編纂委員会編/方志出版社)

『崂山志』(青島市史志办公室編/新華出版社)

『道教海上名山』(高明見/宗教文化出版社)

『青島 (チンタオ) をめぐるドイツと日本』(瀬戸武彦/高知大学学術研究報告)

『青島 (チンタオ) から来た兵士たち:第一次大戦とドイツ兵俘虜の実像』(瀬戸武彦/同学社)

『近現代の山東経済と日本:青島ビール・在華紡などを例に』(久保亨/東洋学報)

『藍色文化:青島』(欒紀曽・鄭鋭著/山東友誼出版社)

『旅游志』(青島市史志办公室編/新華出版社)

『康有為と青島』(柴田幹夫/環日本海研究年報)

『中国家電企業の成長プロセス:海爾集団(Haier)と海信集団(Hisense)の事例を中心に』(趙長祥/一橋大学博士論文)

『世界大百科事典』(平凡社)

青島地下鉄路線図http://machigotopub.com/pdf/qingdaometro.pdf

OpenStreetMap

(C)OpenStreetMap contributors

青島郊外と開発区／海岸線にそって「美しい青島」

まちごとパブリッシングの旅行ガイド

Machigoto INDIA , Machigoto ASIA , Machigoto CHINA

マカオ-まちごとチャイナ

Juo-Mujin（電子書籍のみ）

自力旅游中国Tabisuru CHINA

山東省と
中国沿岸部

N

0km   1000km

青島市街部

0km　　　　　　　　10km

青島

0km　　　　　　　　30km

香港中路

0km   3km

五四広場

N

0km 1km

世紀広場

石老人

0km　　　　　　　　　1km

0km　　　　　　　　　5km

崂山

0km   10km

N

流清河景区

N

崂山

太清遊覧区

0km   10km

崂山

0km 10km

棋盘石遊覧区

崂山

0km   10km

仰口遊覧区

N

崂山

0km 10km

巨峰遊覧区

崂山

0km   10km

北九水遊覧区

市北

四方

0km

2km

開発区

青島郊外

0km 50km

【車輪はつばさ】
南インドのアイラヴァテシュワラ寺院には
建築本体に車輪がついていて
寺院に乗った神さまが
人びとの想いを運ぶと言います

An amazing stone wheel of the Airavatesvara Temple
in the town of Darasuram, near Kumbakonam in the South India

まちごとチャイナ
山東省 004

青島郊外と開発区
海岸線にそって「美しい青島」
［モノクロノートブック版］

「アジア城市（まち）案内」制作委員会
まちごとパブリッシング
http://machigotopub.com

・本書はオンデマンド印刷で作成されています。
・本書の内容に関するご意見、お問い合わせは、発行元の
　まちごとパブリッシング info@machigotopub.com までお願いします。

まちごとチャイナ
新版 山東省004青島郊外と開発区
〜海岸線にそって「美しい青島」

2020年 8月15日　発行

著　者　　「アジア城市（まち）案内」制作委員会
発行者　　赤松　耕次
発行所　　まちごとパブリッシング株式会社
　　　　　〒181-0013　東京都三鷹市下連雀4-4-36
　　　　　URL http://www.machigotopub.com/
発売元　　株式会社デジタルパブリッシングサービス
　　　　　〒162-0812　東京都新宿区西五軒町11-13
　　　　　清水ビル3F

印刷・製本　株式会社デジタルパブリッシングサービス
　　　　　URL http://www.d-pub.co.jp/

MP243

ISBN978-4-86143-394-8 C0326　　　Printed in Japan